Un brindis por los amigos

COLABORACIÓN EDITORIAL
Cristina Alemany
María Eugenia Díaz Cafferata
Enriqueta Naón Roca

DISEÑO
Renata Biernat

Las editoras agradecen a los editores, autores y agentes literarios la autorización para publicar material con derechos. Si se hubieran cometido errores u omisiones, estarán complacidas de hacer las aclaraciones necesarias en las próximas ediciones.

ARGENTINA: Arenales 1239 PB 3 - C1061AAK Buenos Aires
Tel/Fax (54-11) 4816-3791 / e-mail: editoras@vergarariba.com.ar
MÉXICO: Kelvin Nº10, 4º Piso, Colonia Anzures - México DF 11590
Tel/Fax (525) 203-5266 / e-mail: editoras@vergarariba.com.mx

ISBN: 987-9338-11-1

Impreso en China por ProVision Pte. Ltd.
Co-edición realizada por Vergara & Riba Editoras S.A.,
Buenos Aires y RotoVision Crans S.A., Suiza.

Printed in China
Febrero de 2001

Un brindis por los amigos

Edición de Lidia María Riba

Vergara & Riba
Editoras

Índice

Decir amigo

Decir amigo...
se me figura que decir amigo
es decir ternura.
Dios y mi canto
saben a quién nombro tanto.

Joan Manuel Serrat

Decir amigo
es decir juegos,
escuela, calle y niñez,
gorriones presos de un mismo viento
tras un olor de mujer.

Decir amigo
es decir vino,
guitarra, trago y canción,
furcias y broncas
y en los Tres Pinos
una novia para los dos.

Decir amigo
me trae del barrio
luz de domingo
y deja en los labios
gusto a mistela
y a natillas con canela.

Decir amigo
es decir lejos
y antes fue decir adiós
y ayer y siempre
lo tuyo nuestro
y lo mío de los dos.

Decir amigo...
se me figura que decir amigo
es decir ternura.
Dios y mi canto
saben a quién nombro tanto.

Joan Manuel Serrat

*C*uando dos personas son amigas,
cada una enseña algo a la otra;
en caso contrario, se trataría de una
relación entre maestro y discípulo,
no entre amigos.

Adolfo Bioy Casares

La razón que tú tengas es la suya;
el agravio que sufras es su agravio;
y serás, entre todos, por tu amigo,
con justicia o sin ella, respaldado.

Rudyard Kipling

Un amigo es quien sabe realmente
cómo soy, entiende dónde estoy, acepta
lo que pienso y conociendo todo de mí,
igualmente se queda a mi lado
y me ayuda a crecer.

$\mathcal{E}$l Maestro preguntó a sus discípulos:
–¿Quién de ustedes puede decirme
cuándo sabemos con exactitud
que ha amanecido?
Uno de los tantos respondió:
–Amanece en el momento en que
podemos distinguir un árbol de un
arbusto.
–No, esa no es la respuesta.
Otro discípulo respondió:
–Ha amanecido cuando podemos
distinguir una cabra de una oveja.
–Esa tampoco es la respuesta.

Un tercero aseguró:

–Amanece cuando podemos ver con claridad el rostro de nuestro hermano.

–Sin duda –dijo el Maestro- esa es la respuesta: ha amanecido si somos capaces de ver a otros hombres y distinguirlos como hermanos.

Paulo Coelho

Yo buscaba a mi alma,
pero no la podía ver.
Yo buscaba a mi Dios,
pero mi Dios me rehuía.
Yo buscaba a un amigo
y allí encontré a los tres.

Wayne Dosick

El otro tiene que ser para nuestra vida
una montaña, desde cuya altura se avisten
distancias nuevas, paisajes nuevos,
nuevas interpretaciones del vivir.

Roberto Arlt

El lenguaje de la amistad no está hecho
con palabras sino con significados. Es una
inteligencia por encima de las palabras.
Supongamos que alguien va a despedir
a un amigo que parte de viaje. ¿De qué
otra forma puede expresar sus sentimientos
más que con un apretón de manos?
Hay ciertas cosas de las que un hombre
nunca habla y que son aún más preciosas
porque se mantienen en silencio.
Las más profundas comunicaciones sólo
necesitan que les prestemos un oído
silencioso... En las relaciones humanas,
la tragedia comienza no cuando no se
interpretan las palabras, sino cuando
no se interpreta el silencio.

Henry David Thoreau

Hay gente que con sólo decir
una palabra enciende la ilusión
y los rosales; que con sólo
sonreír entre los ojos nos invita
a viajar por otras zonas,
nos hace recorrer toda la magia.
Hay gente que con sólo dar la mano
rompe la soledad, pone la mesa,
sirve el puchero, coloca las guirnaldas;
que con sólo empuñar una guitarra
hace una sinfonía de entrecasa.

Hay gente que con sólo abrir la boca
llega hasta todos los límites del alma,
alimenta una flor, inventa sueños,
hace cantar el vino en las tinajas
y se queda después como si nada.
Y uno se va de novio con la vida
desterrando una muerte solitaria pues
sabe que a la vuelta de la esquina
hay gente que es así, tan necesaria.

Hamlet Lima Quintana

*L*a amistad es un contrato tácito
entre dos personas sensibles
y virtuosas. Digo "sensibles" porque
un monje o un solitario pueden ser
personas de bien y vivir sin conocer
la amistad. Digo "virtuosas" porque
los malvados sólo tienen cómplices;
los sensuales, compañeros de juerga;
los codiciosos, asociados;
los holgazanes, relaciones y los
príncipes, cortesanos. Pero sólo los
virtuosos tienen amigos.

Voltaire

$\mathcal{L}$a amistad es mucho más trágica que el amor. Dura más.

Oscar Wilde

Amigos son esos extraños seres que nos preguntan cómo estamos y realmente esperan escuchar nuestra respuesta.

$\mathcal{E}$s bueno ser rico, es bueno ser fuerte, pero es mejor ser estimado por muchos amigos.

Eurípides

En algún lugar, en este instante y
aunque no lo sepas:

Alguien piensa en ti y sonríe.
Alguien se preocupa por ti.
Alguien te echa de menos.
Alguien quiere hablar contigo.
Alguien quiere estar contigo.
Alguien te está agradecido.
Alguien te desea lo mejor.
Alguien espera que lo encuentres.
Alguien siente deseos de abrazarte.

Alguien admira tu fortaleza.
Alguien quiere protegerte.
Alguien haría cualquier cosa por ti.
Alguien te necesita.
Alguien quiere contarte su secreto.
Alguien quiere compartir contigo
sus sueños.
Alguien desea que lo perdones.
Alguien confía en ti.
Aunque no estén cerca de ti o
no puedan decírtelo...
tus amigos comparten tu mundo.

𝒰nirse es el comienzo, permanecer juntos ya es un progreso, pero trabajar juntos es un éxito.

Henry Ford

Los silencios son las verdaderas conversaciones entre amigos. No es lo que se dice sino lo que no necesita ser dicho lo que realmente cuenta.

𝒜ntes que al médico, llama a tu amigo.

Pitágoras

Cada grito de hermandad que lanzamos se pierde en el aire y vuela a los espacios sin límite. Pero ese grito, llevado día tras día por los vientos, llegará por último a uno de los extremos de la tierra y resonará largamente, hasta que un hombre, en alguna parte, perdido en la inmensidad, lo escuche y feliz, sonría...

Albert Camus

23

$\mathcal{J}$esús contó la parábola del buen samaritano.

–Un hombre bajaba de Jerusalén a Jericó y cayó entre bandidos que lo despojaron de todo lo que tenía, le pegaron y se marcharon, dejándolo casi muerto. Sucedió que un sacerdote recorría ese camino y, cuando vio al hombre en el suelo, siguió de largo. Un levita llegó a ese mismo sitio y también siguió su camino. Pero un samaritano llegó donde yacía el hombre y, en cuanto lo vio, se apiadó de él. Se acercó y le vendó las heridas, vertiéndole aceite y vino.

Luego lo levantó, lo puso sobre su
montura y lo acompañó hasta un albergue.
Allí lo cuidó toda la noche. A la mañana
siguiente, le entregó dos monedas
al posadero, diciendo: "Cuida de él,
y si necesitas gastar más, hazlo. Cuando
regrese te pagaré".
–¿Cuál de los tres se comportó como
el prójimo del hombre que cayó entre los
ladrones? –preguntó Jesús.
–El que demostró misericordia –respondió
el escriba.
Y Jesús le dijo:
–Pues compórtate de la misma manera.

Lucas 10, 30–37

$\mathcal{U}$n amigo es la mano que despeina tristezas.

Gustavo Gutiérrez

$\mathcal{E}$l amigo es siempre aquel que nos comprende más allá de las apariencias y nos hace justicia. Quien nos ayuda a encontrar, aun a costa de perdernos, el lugar adonde nuestro destino nos llama.

Francesco Alberoni

En el tabaco, en el café, en el vino,
al borde de la noche se levantan
como esas voces que a lo lejos cantan
sin que se sepa qué, por el camino.

Livianamente hermanos del destino,
dióscuros, sombras pálidas, me espantan
las moscas de los hábitos, me aguantan
que siga a flote en tanto remolino.

Los muertos hablan más, pero al oído,
y los vivos son mano tibia y techo,
suma de lo ganado y lo perdido.

Así un día, en la barca de la sombra,
de tanta ausencia abrigará mi pecho
esta antigua ternura que los nombra.

Julio Cortázar

("Los amigos")

Cuidar a los amigos

Vivimos ayudándonos unos a otros,
según una ley antigua y eterna.
Amigos míos, hermanos míos,
el camino más ancho es el prójimo.

Khalil Gibrán

El zorro miró largo rato al principito.
¡Por favor, domestícame! –dijo-. Domesticar
es "crear lazos". Si me domesticas, mi vida
se llenará de sol. Conoceré un ruido de
pasos que será diferente de todos los otros.
Los otros pasos me hacen esconder bajo
la tierra. El tuyo me llamará fuera de la
madriguera, como una música. Mira, ¿ves,
allá, los campos de trigo? Yo no como
pan; para mí el trigo es inútil. Los campos
de trigo no me recuerdan nada. Pero tú
tienes cabellos color de oro. Cuando me
hayas domesticado, el trigo dorado será
un recuerdo de ti.
Y amaré el sonido del viento en el trigo...

Antoine de Saint-Exupéry

$\mathcal{Y}$a conoce, pues, quién soy,
tenga confianza conmigo.
Cruz le dio mano de amigo
y no lo ha de abandonar.
Juntos podemos buscar
pa' los dos un mesmo abrigo.

José Hernández
("Martín Fierro")

Por siempre
alguien
te ha de acompañar
aun cuando sea
solamente una voz
que sostenga
el peso
de tu alma.

Ángela Botero López

*Escribo para mí, para mis amigos
y para atenuar el curso del tiempo.*

Jorge Luis Borges

*Cuando un hombre es buen amigo,
también tiene amigos buenos.*

Maquiavelo

*R*econcéntrate para irradiar;
déjate llenar para que rebases luego,
conservando el manantial. Recógete
en ti mismo para mejor darte a los
demás todo entero e indiviso.

Miguel de Unamuno

$\mathcal{E}$l afecto es tocar a alguien con cariño. Significa mostrar de manera abierta y cariñosa, que me preocupo por esa persona. Demostrar afecto por medio de gestos y caricias es una maravillosa manera de llenar nuestra vida de amor. Un sencillo apretón de manos, una caricia suave, un gran abrazo mantienen el flujo del amor circulando en la vida de las personas.

Deepak Chopra

Los amigos se consolidan mediante
muchos actos. Y a veces se pierden
con uno solo.

La amistad es más difícil y más rara
que el amor. Por eso, hay que salvarla
como sea.

Alberto Moravia

*U*na amistad reanudada requiere más
cuidados que la que nunca se ha roto.

François Rochefoucauld

Que profeses alguna fe
o alguna religión es bueno.
Pero puedes vivir sin ellas si sientes
amor, compasión y tolerancia.
La prueba clara del amor
que una persona le tiene a Dios
es que dicha persona, de manera
genuina, les muestre amor
a sus semejantes.

Dalai Lama

$\mathscr{D}$os amigos caminaban por las calles de New York. De pronto, en medio de una conversación banal, comenzaron a discutir, y casi se agredieron físicamente. Más tarde, con los ánimos ya calmados, se sentaron en un bar. Uno de ellos comenzó pidiendo disculpas:

–He comprobado que es mucho más fácil herir a las personas cercanas. Si tú fueras un extraño, me habría controlado mucho más. Pero, justamente por el hecho de que somos amigos y me entiendes mejor que ningún otro, fui mucho más agresivo. Así es la naturaleza humana.

–Tal vez sea así la naturaleza humana, pero vamos a luchar contra esto.

Paulo Coelho

Una amistad delicadamente cincelada, cuidada como se cuida una obra de arte, es la cima del universo.

José Ortega y Gasset

Quien no puede perdonar a otro destruye el puente que tal vez necesite cruzar algún día.

Nuestra tarea no consiste
en aproximarnos, como no se juntan
el sol y la luna, ni el mar y la tierra.
Nosotros, querido amigo, somos el sol
y la luna, el mar y la tierra. Nuestro objetivo
no es cambiarnos uno en otro sino
conocernos y acostumbrarnos a ver
y venerar cada cual en el otro lo que él es.

Hermann Hesse

Y así el amor es caricia
que se nos va de las manos
para servicios humanos
en comisión de justicia.

Amar es querer mejor,
y si le pones medida,
te resulta que el amor
es más ancho que la vida.

Andrés Eloy Blanco

Compartir el camino

Sigo adelante,
con una pequeña ayuda
de mis amigos.
Puedo volar alto,
con una pequeña ayuda
de mis amigos.

John Lennon - Paul McCartney

–¿Qué puedo hacer cuando mi amor
está lejos?

–¿Te preocupa estar solo?

–¿Cómo me siento al llegar la noche?

–¿Estás triste porque no tienes a nadie
a tu lado?

–No, sigo adelante, con una pequeña ayuda
de mis amigos.

Puedo volar alto, con una pequeña ayuda
de mis amigos.

Vuelvo a intentarlo, con una pequeña
ayuda de mis amigos.

John Lennon - Paul McCartney

$\mathcal{S}$i ese benévolo principio que tan
íntimamente une a dos personas con
los lazos de la amistad fuera erradicado
del corazón humano, sería imposible
la subsistencia de la familia privada
y de la comunidad pública, y aun la tierra
misma estaría yerma y la desolación
cundiría por el mundo.

Cicerón

*N*o tenemos tanta necesidad
del apoyo de los amigos como
de la confianza en su ayuda.

Epicuro

*E*n la soledad, todos podemos ser
arbitrarios. El diálogo con amigos es
necesario para mantener la cordura. Solos,
somos capaces de cualquier desatino.

Adolfo Bioy Casares

Amigo mío, llora, que eso te aliviará. Siéntate a mi lado y no hables. Bien veo que no puedes más; tal vez has estado haciendo esfuerzos toda la mañana para mantenerte en pie y para que no se te notase nada, lo que merece reconocimiento. Ahora llora libremente, es lo mejor que puedes hacer.

Hermann Hesse

*P*ara saber valerse de los amigos se necesitan sensatez, tacto e ingenio. Unos son buenos para estar lejos y otros, cerca. El que no era bueno para la conversación lo es para la correspondencia.

Saberlos conservar es más importante que hacer amigos. No hay desierto como vivir sin ellos. La amistad es el único remedio contra la suerte adversa y es un desahogo del alma.

Baltasar Gracián

48

Y mañana,
cuando seas descolado mueble viejo
y no tengas esperanzas
en el pobre corazón,
si precisás una ayuda,
si te hace falta un consejo,
acordáte de este amigo
que ha de jugarse el pellejo
para ayudarte en lo que pueda
cuando llegue la ocasión.

Celedonio Flores

Tú eres mi hermano del alma...
realmente, el amigo
que en todo camino y jornada
está siempre conmigo.
Aunque eres un hombre
aún tienes alma de niño,
aquel que me da su amistad,
su respeto y cariño.

Recuerdo que juntos pasamos
muy duros momentos
y tú no cambiaste por fuertes
que fueran los vientos.
Es tu corazón una casa de puertas abiertas,
tú eres realmente el más cierto
en horas inciertas.

Roberto Carlos

*Un verdadero amigo jamás
se interpone en tu camino,
a menos que vea que vas cayendo
cuesta abajo.*

*L*os que realmente importan son
los amigos a quienes puedes llamar
a las cuatro de la mañana.

Marlene Dietrich

Cada uno de nosotros es un ángel con una sola ala. Y sólo podemos volar si nos abrazamos unos a otros.

Luciano de Crescenso

Nos entendemos bien. Yo lo dejo ir a su antojo y él me lleva adonde quiero.

Juan Ramón Jiménez
("Platero y yo")

Tal como el hierro templa al hierro, así un hombre templa el carácter de su amigo.

Proverbios 27:17

A veces nuestra luz se apaga
pero otro ser humano la enciende.
Cada uno de nosotros debe el más
profundo agradecimiento a quienes
han vuelto a encender esa luz
en nuestro corazón.

Albert Schweitzer

La vida podrá dispersarnos y
mantenernos separados. Podrá impedir
que pensemos a menudo uno en el otro,
pero sabemos que nuestros amigos están
ahí, silenciosos, tal vez incluso olvidados,
pero profundamente fieles.
¡Y con qué alegría nos abrazan cuando
nuestros caminos se vuelven a cruzar!
Olvidamos que no hay más esperanza
de regocijo que en las relaciones humanas.
Si trato de recordar momentos que me han
dejado un sabor permanente, si hago
un balance de las horas de mi vida
que realmente contaron, con certeza sólo
encontraré aquellas que ninguna riqueza
pudo haberme procurado.
La verdadera riqueza no puede comprarse.

Antoine de Saint-Exupéry

¿Por qué no nos aburrimos con
los amigos? Porque la amistad verdadera
siempre es aventura, exploración
de los misterios de la vida, búsqueda.

Francesco Alberoni

Los amigos de importancia
que se precien de leales,
en los bienes y en los males
van a pérdida y ganancia.

Tirso de Molina

Necesitamos a los viejos amigos
para que nos ayuden a envejecer
y a los amigos nuevos, para que nos
ayuden a seguir siendo jóvenes.

La simple sonrisa de un amigo basta
para superar un dolor, cicatrizar una herida
y alegrar el corazón.

J. de Sousa Nobre

Estas son las cosas que más aprecio
y a las que otorgo mayor valor:
la luz color zafiro de los cielos,
la paz de las colinas silenciosas,
el refugio del bosque,
el césped mullido,
la música de los pájaros,
el susurro de un arroyo,
la sombra de las nubes volando
raudas sobre los campos,
y, después de la lluvia,
el olor de las flores y
de la buena tierra oscura.
Y por sobre todo,
para acompañarme en el camino,
la risa y la amistad.

Henry van Dyke

*L*e hablo de esa mano tendida y abierta,
con el gesto antiguo de la caridad,
mano de *chamigo* que se da sin vueltas,
del que abre la puerta y ofrece su pan...

Julián Zini

A veces, todo lo que buscamos
en esta vida es una palabra de alguien.
Una palabra de aliento, una palabra
de perdón, una palabra de reconciliación.
La vida merece ser conversada.

Robin Meyers

Quiero ser para ti como un puente
sobre un río. De este lado, tu hoy.
Del otro lado, tu mañana. Entre ambas
orillas, el río de la vida. A veces está
calmo, otras, turbulento; algunas veces,
traicionero; otras, profundo y barroso.
Es necesario atravesarlo...
No soy Dios ni pretendo jugar a ser Dios.
Sólo Él puede llevarte con seguridad
a la otra orilla. Pero sí quiero ser el puente
que haga más fácil tu trayecto.

Padre Zezinho

Uno en mil

Un hombre en mil, dice Salomón,
se apegará a ti más que un hermano,
y vale la pena buscarlo media vida...

Rudyard Kipling

$\mathcal{L}$as palabras dulces multiplican
los amigos y un lenguaje amable
favorece las buenas relaciones.
Que sean muchos los que te saludan,
pero el que te aconseja, que sea
uno entre mil.
Un amigo fiel es un refugio seguro:
el que lo encuentra ha encontrado
un tesoro.

Un amigo fiel no tiene precio,
no hay manera de estimar su valor.
Un amigo fiel es un bálsamo de vida
que encuentran los que temen al
Señor.
El que teme al Señor encamina bien
su amistad, porque como es él,
así también será su amigo.

Eclesiástico 6, 5-17

En tu casa puedo entrar sin vestirme
con un uniforme, sin someterme
a la recitación de un Corán, sin renunciar
a nada de mi patria interior. Junto a ti no
tengo que disculparme, no tengo
que defenderme, no tengo que probar nada...
Hallo la paz.

Antoine de Saint-Exupéry

De pronto uno se aleja
de las imágenes queridas
amiga
quedas frágil en el horizonte
te he dejado pensando en muchas cosas
pero ojalá pienses un poco en mí.

Mario Benedetti

Donde tú vayas, yo iré y
donde tú mores, yo moraré.
Tu pueblo será mi pueblo y tu Dios
será mi Dios. Donde tú mueras,
yo moriré y allí seré sepultada.

Libro de Ruth

*L*a lealtad en la amistad ha desaparecido como lo hace la luna entre las nubes. ¡Pon atención a lo que digo, hermano mío! Los antiguos elegían un hombre entre mil; ¡hoy elige uno entre cien mil!

Canto tradicional árabe

Si dicen que del joyero
tome la joya mejor,
tomo a un amigo sincero
y dejo de lado el Amor.

Tiene el señor presidente
un jardín con una fuente,
y un tesoro en oro y trigo:
tengo más, tengo un amigo.

José Martí

Ningún amor, ningún amigo
podrá cruzar el sendero de nuestro
destino sin dejar algún tipo de huella
marcada para siempre.

François Mauriac

Cuentan que cierta vez, en un reino
lejano, se organizó una gran competencia
ecuestre. El ganador fue un joven soldado,
dueño de un caballo excepcional tanto
por su belleza como por su velocidad.
Al entregarle el premio, el rey lo tentó,
preguntándole:
–¿Cambiarías este magnífico animal que
te ha dado el triunfo por mi reino?
El soldado le respondió:
–No, su majestad. No lo cambiaría por
ningún reino del mundo. Pero sí lo
entregaría gustoso a cambio de un buen
amigo. Porque una amistad leal y sincera
vale mucho más que un reino.

Antiguo relato persa

Cuando un amigo se va,
queda un espacio vacío
que no lo puede llenar
la llegada de otro amigo.

Cuando un amigo se va
queda un tizón encendido
que no se puede apagar
ni con las aguas de un río.

Cuando un amigo se va,
una estrella se ha perdido,
la que ilumina el lugar
donde hay un niño dormido.

Cuando un amigo se va,
se detienen los caminos
y se empieza a revelar
el duende manso del vino.

Cuando un amigo se va,
galopando su destino
empieza el alma a vibrar
porque se llena de frío.

Cuando un amigo se va,
queda un terreno baldío
que quiere el tiempo llenar
con las piedras del hastío.

Cuando un amigo se va,
se queda un árbol caído
que ya no vuelve a brotar
porque el viento lo ha vencido.

Alberto Cortez

Tu voz, amigo mío, vaga en mi
corazón, como el sordo sonido
del mar entre estos pinos oyentes.
Querido amigo, yo siento el silencio
de tus pensamientos, cuando
escucho las olas, en muchos
atardeceres oscurecidos en esta playa.

Rabindranath Tagore

Cuando estamos ahogados de ceniza
y nos crujen los huesos de la espalda
y nos dejan los seres que queremos
y nos riñen los jefes sin mirarnos.
Cuando estamos dispuestos para todo
y hacemos letanía del suicidio.
Vemos, que el silencio ha bajado,
que nos tienden un cable
que nos peinan el pelo
que suenan campanillas
que nos besan los brazos,
si también os sucede, alegraos amigos,
hay una especie de ángel
sentado con nosotros.

Gloria Fuertes

$\mathcal{U}$n hombre en mil, dice Salomón,
se apegará a ti más que un hermano,
y vale la pena buscarlo media vida
si lo encuentras antes que otro;
novecientos noventa y nueve se rigen
por lo que el mundo ve en ti,
pero el milésimo hombre te será fiel
aunque se te oponga el mundo entero.

Ni promesas ni plegarias ni jactancias
servirán para consumar la búsqueda.
Novecientos noventa y nueve se guiarán
por tu aspecto, tus actos o tu gloria,
pero si él te encuentra y tú lo encuentras,
poco importará el resto del mundo;
pues el milésimo hombre se hundirá
o nadará contigo en todas las aguas.

Su perjuicio es el tuyo, también su beneficio,
en tiempos propicios o desfavorables.
Respáldalo a la vista de todos,
sin buscar motivos ulteriores.
Hay novecientos noventa y nueve
que no soportan la vergüenza ni las burlas,
mas el milésimo hombre irá contigo
hasta la muerte...¡y también más allá!

Rudyard Kipling

Casi hermanas

Una suprema hermana de mi alma,
cuando mi alma es buena
y se viste de alas y se toca de astros.

Delmira Agustini

Tu alma me fascinó en tu mirada como
una remota hermana nunca vista,
reconocida milagrosamente al crepúsculo
en un encuentro mudo por un camino
misterioso... Una suprema hermana
de mi alma, cuando mi alma es buena
y se viste de alas y se toca de astros.
Al pasar, tu mirada me atrajo como una
selva profunda en un palacio encantado.
Tu espíritu santo me penetró como
una esencia fuerte.
Hoy te hablo, Ana, por si acaso
me oyes desde algún país lejano en
donde no se dude... Tú sabías que cada
palabra sincera es una perla del corazón...

Delmira Agustini

Nunca la distancia fue impedimento para mantener viva una amistad. Antes fueron las cartas, luego las "visitas telefónicas", en la actualidad son los e-mails, y quién sabe en el futuro qué nuevos medios de comunicación nos acercarán a las amigas del alma. Pero nada de esto se compara con la mirada frente a frente, la carcajada espontánea y el abrazo cálido. Hay algo en la presencia que hace que el vínculo se recree, por eso la palabra anhela, pide y promete: tenemos que vernos.

Piénsame como en la fotografía:
con mi perfil rondando tu apellido.
Brizna desmemoriada que ha crecido
al lado de tu voz, amiga mía.

Yo soy aquella fiebre de papeles
que por los corredores de la escuela
admiraba tu mundo de acuarela
y la política de tus pinceles.

Soy el antaño de tus mediodías
y aquel afán donde te reconoces;
quien buscaba tu voz entre las voces
y quien tanto lloró porque sufrías.

Mi corazón en todo te comprende
-desde su cerradura o con su llave-
pero perdónalo porque no sabe
en dónde acabas tú y empieza el duende.

Digo que eres sostén y nervadura
de esta riqueza que no llamo mía
porque eres la verdad de mi alegría
porque estoy reclinada en tu dulzura. (...)

En la ciudad de mi palabra fría
ardiendo está tu ausencia o tu latido.
Mucho antes de partir me habré perdido
sin tu mano en mi mano, amiga mía.

María Elena Walsh

Es una gracia poder percibir el primer
instante de una amistad, el momento
de timidez, ese saludo tentativo,
en el que —extrañamente— reconocemos
a una amiga a quien, hasta un momento
atrás, no conocíamos. Los otros regalos
de la vida levantan vuelo desde aquí,
el afecto, la generosidad, el compartir,
hasta que, de pronto, comprobamos
que nuestra vida se ha enriquecido.

$\mathcal{S}$oy quien he llegado a ser gracias
a nuestra amistad. Nos hicimos inseparables
en el tránsito más importante de la existencia,
cuando va quedando atrás la infancia y se
revelan, una a una, las verdades de la vida.
Descubrimos juntas el inmenso deseo
de libertad, las preguntas sin respuesta,
el vértigo y el tiempo infinito. Forjamos
dos vidas cruzadas: tú tenías parte de la mía
y yo, parte de la tuya. Por eso, amiga del
alma, no encuentro consuelo. No es posible
que te hayas ido. Cuando lo supe, fui
a buscarte, respiré aquel aire suave y amable
de tu ciudad. No era posible. Te llevaste
contigo aquella esencial parte de mí.
Yo llevaré para siempre conmigo la tuya,
hasta el día en que nos volvamos a encontrar.

$\mathcal{P}ara\ \mathcal{S}.$ (In memoriam)

$\mathcal{S}$oñaba al despertar, Ana María,
con la hoja que el día me trajera,
papel y tinta, que de flor no era
con aliento agridulce de poesía.

Un tono pardo tornasol vestía
la quieta y triste y ávida viajera
subiendo como ciega enredadera
por la zarza de la melancolía.

Amiga: soy confusa y tú eres clara
y tengo en este pueblo una laguna
y es tan fácil llegar hasta su orilla...

Te invito a que miremos cara a cara
la imagen dolorida de la luna.
Verás cómo es de extraña y amarilla.

$\mathcal{D}almira\ \mathcal{L}ópez\ \mathcal{O}sornia$

Hay días en que nos sentimos Cenicienta;
nuestros sueños, inalcanzables,
nuestro verdadero ser, oculto a la vista.
Hasta que llega una amiga y nos dice:
"Eres hermosa, puedes ser y hacer
lo que desees". Qué final feliz el que
renueva nuestra esperanza. Qué mágica
la amiga que transforma nuestras dudas
en infinitas posibilidades.

Ser amiga es saber cuándo hablar
y cuándo callar; saber escuchar
y aconsejar, saber confiar y dar confianza.
Ser amiga es no tener que preguntar
y saber cuándo sólo acompañar.
Ser amiga es disfrutar del silencio,
estar junto a ti sin que sea preciso hablar.
Ser amiga es compartir todo y querer
ser parte de todo, de las alegrías
y de las tristezas, de la vida...
Ser amiga es querer ayudar siempre,
es sólo ofrecer un abrazo cuando
así lo necesites.

Ser amiga es crear un código secreto
que sólo nosotras conocemos,
reírnos de bromas propias que únicamente
nosotras entendemos, recordar anécdotas
y momentos inolvidables. Tener
una historia juntas.
Ser amiga es tener a alguien que
me conoce mejor que yo misma
y a quien conozco mejor que nadie.
Ser amiga es contar con una
compañera que me hace más fácil
el camino de la vida.

María Nazareth F. Alves

*U*na sola palabra define la esencia de
nuestra amistad: presencia. Y no porque
hayamos estado siempre una junto
a la otra. No, ha sido mucho el tiempo
transcurrido estando separadas. Pero
nunca hemos dejado de percibir
la vivencia clara, tangible de la presencia
de una cerca de la otra. La serena,
profunda convicción de que
nos encontraríamos donde y cuando
lo necesitáramos.

Qué tormentas hemos capeado en nuestro
barquito frágil; por momentos,
gritándonos órdenes para cambiar el norte
de las velas y por momentos, abrazadas
en el miedo y en la lluvia. Y cuánto regalo
de la vida hemos compartido y festejado...
Hoy nos distraen el trabajo,
las obligaciones, incluso, ciertas diferentes
aficiones. Pero siento tu presencia,
como antes, como siempre. Y estoy segura
de que no precisaré llamarte; sé que me
escucharás en el silencio.
Amigas, casi hermanas.

L. M. R.

Soñar juntos

...la historia tañe sonora
su lección como campana
para gozar el mañana
hay que pelear el ahora

con tu puedo y con mi quiero
vamos juntos compañero

Mario Benedetti

Con tu puedo y con mi quiero
vamos juntos compañero

    compañero te desvela
    la misma suerte que a mí
    prometiste y prometí
    encender esta candela

con tu puedo y con mi quiero
vamos juntos compañero

la historia tañe sonora
su lección como campana
para gozar el mañana
hay que pelear el ahora

con tu puedo y con mi quiero
vamos juntos compañero.

Mario Benedetti

$\mathcal{E}$l amor es algo más que pensar y
sentir. Significa estar con nuestros amigos
y darles el espacio y la oportunidad
para que compartan sus vidas, sus sueños
y algunas veces, sus lágrimas.

Benjamin Shield

$\mathcal{A}$llí en donde estés, serán tus propios
amigos quienes constituyan tu mundo.

William James

Mis amigos son sueños imprevistos
que buscan piedras filosofales,
rondando por sórdidos arrabales
donde bajan los dioses sin ser vistos.

Mis amigos son gente cumplidora
que acuden cuando saben que yo espero.
Si les roza la muerte, disimulan:
para ellos, la amistad es lo primero.

Joan Manuel Serrat

95

$\mathcal{S}$uele suceder que dos amigos están
hablando de una cosa y pensando en otra
completamente distinta, están discutiendo
sobre un tema superficial y comulgando
en un secreto profundo. Es un secreto
común que nunca se lo revelarán el uno
al otro. Nada une más a los hombres que
el secreto. El que adivine tu secreto,
te mira y eres amigo suyo. Y en él buscarás
refugio. Y será a quien más
cuidadosamente le celes tu secreto.

Miguel de Unamuno

*L*os amigos aprecian las esperanzas
de sus amigos y son benévolos
con sus sueños.

Henry David Thoreau

*C*omunicarse por medio del silencio
es un puente entre los pensamientos
del hombre.

Marcel Marceau

*E*l llanto de los otros
suele hacernos llorar, pero la risa
de los otros, invariablemente,
irremisiblemente, nos hará reír.

Amado Nervo

¡Ven!
Comparte tu sueño,
compañero.
¡Ven!
Acerquémonos al ocio,
socio.
¡Ven!
Convérsame de nada,
camarada.
¡Ven!
Siéntate cerquita,
conmigo,
amigo.

Ángela Botero López

$\mathcal{U}$n periodista fue a entrevistar
a Jorge Luis Borges. Luego del reportaje,
se quedaron conversando sobre
el lenguaje que existe más allá
de las palabras, sobre la inmensa capacidad
del ser humano para entender a su prójimo.
–Le voy a dar un ejemplo –dijo Borges.
Y comenzó a hablar en una lengua
extraña. Al finalizar, le preguntó
al periodista qué había dicho. Antes
de que éste le pudiera responder,
el fotógrafo que se encontraba con él dijo:
–Es la oración del Padrenuestro.
–Exacto –confirmó Borges. La recité
en finlandés...

Paulo Coelho

Alguien camina a tu lado con alegría.
Merece tu amor y tu entrega.
Imagina un mundo mejor para ti.
Goza compartiendo momentos inolvidables.
Olvida el egoísmo para estar contigo.

Cuanto más unido te sientes a un sitio,
con más fuerza te sientes impulsado a
abandonarlo, pero la memoria permanece,
y uno recuerda, como en un espejo,
misteriosamente, a sus amigos ausentes...

Vincent van Gogh

100

Vivir para dar.
Caminar para encontrar.
Sonreír para alegrar.
Tener para compartir.
Repartir para aliviar.
Esperar para abrazar...
son actitudes que describen
la hermosa aventura
de ser humano.

Rainer M. Rilke

Porque el camino es árido y desalienta,
porque tenemos miedo de andar a tientas,
porque esperando a solas poco se alcanza
valen más dos temores que una esperanza.

Si por delicadeza perdí mi vida
quiero ganar la tuya por decidida.
Porque el silencio es cruel, peligroso el viaje,
yo te doy mi canción, tú me das coraje.

Ánimo nos daremos a cada paso,
ánimo compartiendo la sed y el vaso.
Ánimo que aunque hayamos envejecido
siempre el dolor parece recién nacido.

Porque la vida es poca, la muerte mucha.
Porque no hay guerra pero sigue la lucha.
Siempre nos separaron los que dominan
pero sabemos hoy que eso se termina.

Dame la mano
y vamos ya.

María Elena Walsh

Amigos célebres

Las maravillas de la vida
y del amor y del placer,
cantaba en versos profundos
cuyo secreto era él.

Rubén Darío
(A Antonio Machado)

Rafael, antes de llegar a España
me salió al camino
tu poesía, rosa literal, racimo biselado,
y ella hasta ahora ha sido no para mí un recuerdo,
sino luz olorosa, emanación de un mundo.

Tú sabes que no enseña sino el hermano.
Y en esa hora no sólo aquello me enseñaste,
no sólo la apagada pompa de nuestra estirpe,
sino la rectitud de tu destino,
y cuando una vez más llegó la sangre a España
defendí el patrimonio del pueblo que era mío.

Ya sabes tú, ya sabe todo el mundo estas cosas.
Yo quiero solamente estar contigo...

Pablo Neruda
(A Rafael Alberti)

Era luminoso y profundo
como era hombre de buena fe.
Fuera pastor de mil leones
y de corderos a la vez.
Las maravillas de la vida
y del amor y del placer,
cantaba en versos profundos
cuyo secreto era él.
Montado en un raro Pegaso,
un día al imposible fue.
Ruego por Antonio a mis dioses,
ellos le salven siempre. Amén.

Rubén Darío

(A Antonio Machado)

*M*i querido hermano, mi maestro:

Acabo de saber de su llegada a Guazú.
¡Puede usted figurarse lo que me habrá
sorprendido después de tanto tiempo
separados y sin saber nada de usted!
Lo saludo con toda mi alma.
¡Cuánto ha pasado sobre nosotros desde
la última vez que nos vimos! Si
pudiéramos vernos, hablaríamos mucho,
con el corazón en la mano.

Jacinto Rodríguez Peña
(Carta a Esteban Echeverría)

Tuve la sublime fortuna de estar ligado
a madame Curie durante veinte años
de sublime amistad. Llegué a admirar
su grandeza humana hasta lo más alto,
su esfuerzo, la pureza de su voluntad,
su austeridad consigo misma, su objetividad,
su incorruptible juicio, todo lo que raramente
se encuentra en una sola persona.

Albert Einstein

$\mathcal{L}$a amistad de Bioy fue una de las cosas que más felicidad y alegría le dieron a Borges en la vida. Había encontrado, por fin, un interlocutor válido: compartían iguales gustos literarios, idéntico estilo de refinamiento intelectual, parecidas reacciones, el mismo sentido del humor, idéntico desdén callado ante lo abominable de cualquier origen. Amistad entrañable exenta de confidencias; porque más allá de las secretas e infinitas bromas que disfrutaron juntos, de los autores que amaron o descubrieron al mismo tiempo,

de los libros que escribieron a cuatro
manos, ninguno sabía las circunstancias
y peripecias que el otro padecía en su
mundo privado, ajeno al ámbito exclusivo
en que se movían, identificándose.
Un respetuoso pudor les impedía
la confidencia; Borges estaba orgulloso
de esa amistad estricta, de esa amistad
en "estado puro". (...) Juntos, Borges y Bioy
transitaron el mismo camino durante
cincuenta y cinco años.

María Esther Vázquez

111

No te conoce nadie. No. Pero yo te canto.
Yo canto para luego tu perfil y tu gracia.
La madurez insigne de tu conocimiento.
Tu apetencia de muerte y el gusto de su boca.
La tristeza que tuvo tu valiente alegría.

Tardará mucho tiempo en nacer,
si es que nace,
un andaluz tan claro, tan rico de aventura.
Yo canto su elegancia con palabras que gimen
y recuerdo una brisa triste por los olivos.

Federico García Lorca
(Llanto por la muerte de Ignacio Sánchez Mejías)

Nadie tiene en su poder estas
declaraciones mías, las escribo
y las suscribo por primera vez,
y me placería que las depositara usted,
para siempre en lo más secreto.
Hágase de cuenta que las circunstancias
que las han engendrado no se han
producido nunca. Mi buen Bartolito,
no se olvide de su poeta y amigo.

Almafuerte

(Carta a Bartolomé Mitre)

Hamilton me abrió los ojos y me dio
nuevos valores y aunque después perdí
la visión que él me había dado, yo nunca
más vi el mundo y mis amigos como
los había visto antes de su llegada.
Hamilton me transformó profundamente,
como sólo pueden hacer una vivencia,
una personalidad o un libro extraños. Por
primera vez en mi vida entendí lo que
podía ser la experiencia de una amistad
vital, sin sentirme por ello esclavizado o
atado por esa experiencia. Nunca, después,
sentí la necesidad de su presencia efectiva.

El se había dado por completo y yo
lo poseí sin ser poseído. Fue la primera
experiencia clara y completa de la amistad
y no se repitió jamás con ningún otro
amigo. Hamilton, más que un amigo
era la amistad en sí.

Henry Miller
("Trópico de Capricornio")

𝒴 volviéndose a Sancho, Don Quijote
le dijo:

–Perdóname, amigo, de la ocasión que te
he dado de parecer loco como yo,
haciéndote caer en el error en que yo he
caído, de que hubo y hay caballeros
andantes en el mundo.

–¡Ay! –respondió Sancho, llorando: No se
muera vuestra merced, señor mío,
sino tome mi consejo y viva muchos años,
porque la mayor locura que puede hacer
un hombre en esta vida es dejarse morir,
sin más ni más, sin que nadie le mate,
ni otras manos le acaben que las
de la melancolía.

Miguel de Cervantes Saavedra
("Don Quijote de la Mancha")

116

Alrededor de ti y el vino, Pablo,
todo es chicharra loca de frotarse,
de darse a la canción y a los solsticios
hasta callar de pronto hecha pedazos,
besos de pura cepa, brazos que han
comprendido su destino de anillo,
de pulsera: abrazar.

Miguel Hernández
(A Pablo Neruda)

Las amistades se habían estrechado y circunscrito; solíamos pasar las horas muertas, haciéndonos confidencias ideales, fraguando planes para el porvenir; estremeciéndonos a la idea de ser queridos como lo comprendíamos y por una mujer como la que soñábamos. Por primera vez en estas páginas, nombro a César Paz, mi amigo querido, aquel que me confiaba sus esperanzas

y oía las mías, aquel hombre leal,
fuerte y generoso, bravo como
el acero, elegante y distinguido, aquel
que más tarde debía morir en el vigor
de la adolescencia por uno de esos
caprichos absurdos del destino,
que arrancan del alma la blasfemia
profunda...

Miguel Cané
("Juvenilia")

$\mathcal{M}$i interés y el tuyo son uno mismo, porque no sería yo amigo tuyo si todo negocio que a ti te atañe no fuese asunto mío también. La amistad crea entre nosotros dos una comunidad de bienes. Ninguna adversidad ni prosperidad nos afecta a cada uno por separado, puesto que vivimos en común.

No es posible que nadie viva feliz si no se mira más que a sí mismo y si todo lo refiere a su propia utilidad: si quieres vivir para ti es imprescindible y necesario que vivas para otro.

Séneca

(Carta a Lucilio)

–¡Muera yo en el acto, ya que no
pude socorrer al amigo ante la muerte!
Ha perecido lejos de su país y sin tenerme
a su lado para preservarle de la desgracia.
Ahora, ya no volveré a ver las riberas
de mi patria, porque ni he sido la luz
de salvación para Patroclo ni para
los muchos amigos que murieron
a manos del divino Héctor...

Aquiles, solo, lloraba pensando en su amigo,
sin que el sueño, que rinde a todos
los seres, pudiera vencerle. Se volvía
y revolvía dominado por el recuerdo
de Patroclo, de su fuerza y de su noble valor,
así como también de los dolores que
pasaron y sufrieron juntos en los combates...

Homero
("La Ilíada")

Si pudiera llorar de miedo
en una casa sola;
si pudiera sacarme los ojos y comérmelos,
lo haría por tu voz de naranjo enlutado
y por tu poesía que sale dando gritos.

Si pudiera de noche, perdidamente solo,
acumular olvido y sombra y humo
sobre ferrocarriles y vapores,
con un embudo negro,
mordiendo las cenizas,
lo haría por el árbol en que creces,
por los nidos de aguas doradas que reúnes,
y por la enredadera que te cubre los huesos
comunicándote el secreto de la noche.

Así es la vida, Federico, aquí tienes
las cosas que te puede ofrecer mi amistad
de melancólico varón varonil.
Ya sabes por ti mismo muchas cosas.
Y otras irás sabiendo lentamente.

Pablo Neruda
(A Federico García Lorca)

Maravillas de la amistad

Mas luego pienso en ti,
querido amigo,
todo lo recobro
y el dolor cesa.

William Shakespeare

$\mathscr{S}$i a cesión de mudos pensamientos
convoco remembranzas del pasado,
suspiro por las pérdidas sufridas
y horas nuevas derrocho en viejas penas:
así ahogo con lágrimas los ojos
por quien está en la noche de la muerte
o por penas de amor ya superadas,
y de nuevo me hundo en la añoranza.
Lloro así pasadas aflicciones
y evoco uno por uno mis pesares,
en una triste suma de lamentos
que salda nuevamente antiguas deudas.
Mas luego pienso en ti, querido amigo,
todo lo recobro y el dolor cesa.

William Shakespeare

$\mathcal{U}$na alegría compartida es una doble alegría.

Goethe

La luz de una amistad es como la de una cerilla: sólo se ve cuando nos rodea la oscuridad.

¿$\mathcal{Q}$uién puede romper el lazo de dos corazones o separar los tonos de un mismo acorde?

Schiller

El amor es la llave. El amor abre todas
las puertas. ¿Por qué no usar la
llave? Gírala y ve lo que ocurre.

Eileen Caddy

El mismo conocimiento que nos ha
hecho estar seguros de que no existe
ningún mal eterno ni muy duradero,
en los mismos límites determinados
de la vida, también nos hace ver
que la seguridad se obtiene, sobre todo,
a través de la amistad.

Epicuro

Valen más dos juntos que uno solo,
porque es mayor la recompensa
del esfuerzo.
Si caen, uno levanta a su compañero;
pero ¡pobre del que está solo y se cae,
sin tener a nadie que lo levante!
Además, si se acercan uno a otro,
sienten calor,
pero uno solo, ¿cómo se calentará?
Una persona sola puede ser dominada,
pero dos –unidas– podrán resistir,
porque la cuerda trenzada
no se rompe fácilmente.

Eclesiastés 4, 9-12

Damón y Pitias eran grandes amigos
desde niños, a tal punto, que muchos
los consideraban hermanos.
En una ocasión, Pitias pronunció
un discurso sobre la injusticia y la tiranía,
lo que disgustó mucho al rey, que
lo mandó a buscar. Su amigo Damón,
por supuesto, lo acompañó.
Ante el rey, Pitias confirmó sus dichos,
por lo cual fue condenado a muerte.
—¿Cuál es tu último deseo?— le preguntó
el rey.
—Quiero ir a mi ciudad a despedirme
de mi esposa y de mis hijos.
—¿Me crees tonto? Si te dejo ir,
escaparás y jamás cumplirás tu condena.

Entonces habló Damón:

—Déjalo ir. Yo me quedaré en su lugar,
como garantía, hasta que regrese.
Nuestra amistad es reconocida por todos.
Puedo asegurarte que Pitias regresará.
Nunca permitiría que yo muriera
en su lugar.

El rey, más por curiosidad que otra
cosa, aceptó:

—Tienes treinta días para despedirte
de tu familia y volver; de lo contrario,
Damón será ejecutado.

— Volveré— aseguró, despidiéndose
de su amigo.

Al cabo de treinta días Pitias no había
aparecido. El rey, con gran satisfacción,
fue a la cárcel a ver a Damón:

—Insensato, tu hora ha llegado.
¿En verdad creíste que tu amigo
regresaría para morir en tu lugar?
Ningún hombre haría semejante sacrificio
por otro.
—Pitias debe haber sufrido algún retraso,
pero vendrá, estoy seguro.
El rey se sintió molesto al verlo tan
sereno y confiado, sin ningún temor:
—En un rato estarás arrepentido...

Llegó el momento de la ejecución.
—¿Qué piensas ahora de Pitias?
—preguntó el rey.
—Es mi amigo y confío plenamente en él.
Cuando ya estaba todo dispuesto para
la ejecución, llegó un hombre agitado,
herido, con la ropa hecha jirones.

Se abrazó a Damón y con emoción le dijo:
—¡Gracias a Dios, estás vivo! Perdóname
por no haber regresado antes, pero
mi barco naufragó, me atacaron unos
vándalos... en fin, lo importante es que
llegué a tiempo—. Y dirigiéndose al rey dijo:
—Estoy listo para cumplir mi condena.
El rey quedó mudo. La presencia de Pitias
le hizo abrir los ojos. Se sintió emocionado
al ver a los dos amigos unidos, en una
muestra tan increíble de amor y lealtad.
—Estáis perdonados... ¡Se suspende la
ejecución!— exclamó con toda su autoridad—,
pero con una condición: quiero participar
de tan noble y fiel amistad. Aceptadme
como amigo y enseñadme a ser tan fiel
e inseparable como lo sois vosotros.

Versión de un relato de Cicerón

La virtud de la amistad es que lleva
a la gente a pensar en términos
de personas y no de ideas.

Jorge Luis Borges

La amistad es un abrazo de perdón,
un aplauso que estimula, un encuentro
que regocija, una entrega sin calcular
y un esperar... sin cansancio.

Cecilia Preciozo

134

$\mathcal{V}$uestro amigo es la respuesta
a vuestras necesidades. Él es el campo
que plantáis con amor y cosecháis
con agradecimiento. Y él es vuestra mesa
y vuestro hogar.

Khalil Gibrán

$\mathcal{E}$s consuelo de la tristeza de esta vida
tener un hombre a quien fiar los secretos
del corazón, que consuele en los casos
adversos y se alegre en los prósperos;
porque la alegría comunicada crece
y la tristeza, compartida, disminuye.

Francisco de Quevedo

*G*uarda tu gratitud para con
los extraños. Entre amigos no existe
la deuda, sino el reconocimiento.

Julio Margulián

*R*esurrección de la alegría,
estoy de fiesta con mi sangre,
porque el que nace a la ternura
vence a la muerte cotidiana,
abre las puertas de la vida
y lleva un niño en la mirada.

Armando Tejada Gómez

$\mathcal{G}$racias quiero dar al divino laberinto de los efectos y las causas por la diversidad de las criaturas que forman este singular universo.

Por el amor, que nos deja ver a los otros como los ve la divinidad.

Por el firme diamante y el agua suelta.

Por el arte de la amistad.

Jorge Luis Borges

REFERENCIAS BIBLIOGRÁFICAS

- Agustini, Delmira. *Poesías completas*, Cátedra, Madrid, 1993.
- Alberoni, Francesco. *La Amistad*, Editorial Gedisa, Barcelona, 1997. © Francesco Alberoni.
- Benedetti, Mario. *Acordes cotidianos*, Vergara y Riba, Buenos Aires, 2000. © Mario Benedetti.
- Bioy Casares, Adolfo. *Memorias,* Tusquets, Buenos Aires, 1994.
- Bonifacini, Gustavo. *Alma, corazón y vida*, Planeta, Buenos Aires, 1998.
- Borges, Jorge Luis. *Obra poética*, Emecé, Buenos Aires, 1995. © María Kodama.
- Botero López, Ángela. *Ex presiones*, Norma, Bogotá, 1995. *Callada mente*, Norma, Medellín, 1985. © Ángela Botero López.
- Carlson, Richard y Shield, Benjamin. *Antología del corazón*, Norma, Bogotá, 1997. © Richard Carlson y Benjamin Shield.

- Cerasuolo, Omar. *Poemas de amor*, Corregidor, Buenos Aires, 1996. *La tierra canta*. Planeta, Buenos Aires, 1997. © Omar Cerasuolo.
- Coelho, Paulo. *Maktub*, Rocco, Río de Janeiro, 1994. *Palabras esenciales*, Vergara y Riba, Buenos Aires, 1998. © Paulo Coelho.
- Cortázar, Julio. *Veredas de Buenos Aires y otros poemas*, Espasa Calpe, Buenos Aires, 1995. © Herederos de Julio Cortázar.
- Cortez, Alberto. *Almacén de almas*, Emecé, Buenos Aires, 1993. © Alberto Cortez.
- Fuertes, Gloria. *Antología poética*, Plaza & Janés, Barcelona, 1972. © Gloria Fuertes.
- Hernández, Miguel. *Obras completas*, Losada, Buenos Aires, 1960.
- Hesse, Hermann. *Narciso y Goldmundo*, Sudamericana, Buenos Aires, 1983.
- Lima Quintana, Hamlet. *Declaraciones de bienes*, Torres Agüero Editor, Buenos Aires, 1993. © Hamlet Lima Quintana.
- Mayer, Marcos. *Para una amiga sincera*, Planeta, Buenos Aires, 1997.

- Neruda, Pablo. *Antología fundamental*, Pehuén, Santiago, 1988. © Fundación Pablo Neruda.
- Serrat, Joan Manuel. *Mediterráneo y otras canciones*, Espasa Calpe, Buenos Aires, 1994. © Joan Manuel Serrat.
- Vazquez, María Esther. *Borges, esplendor y derrota*, Tusquets, Buenos Aires, 1996. © María Esther Vazquez.
- Walsh, María Elena. *Los poemas*, Seix Barral, Buenos Aires, 1996. © María Elena Walsh.

Un regalo para mi hijo
De parte de papá y mamá
Con el cariño de la abuela
Dios te conoce
Tu Primera Comunión
La maravilla de los bebés
Nacimos para estar juntos
Gracias por tu amor
Ámame siempre
Vocación de curar